킹 더 랜드

I

만화 **스푼** ♦ 원안 **최롬**

Yeondam × 남영사

1판 1쇄 인쇄 2023년 8월 17일
1판 1쇄 발행 2023년 8월 31일

만화 스푼
원안 최롬

발행처 김영사 | **발행인** 고세규
편집 손유리 | **외주 디자인** SONBOM 김지은, 박정윤 | **마케팅** 이철주 | **홍보** 조은우, 박다솔
등록번호 제 406-2003-036호 | **등록일자** 1979년 5월 17일
주소 경기도 파주시 문발로 197 (우10881)
전화 마케팅부 031-955-3100 | **편집부** 031-955-3113-20 | **팩스** 031-955-3111

값은 표지에 있습니다.
ISBN 978-89-349-4112-5 (07810)

좋은 독자가 좋은 책을 만듭니다. 김영사는 독자 여러분의 의견에 항상 귀 기울이고 있습니다.
전자우편 book@gimmyoung.com | **홈페이지** www.gimmyoungjr.com

1화

킹더랜드

왕자님 앞에서
웃음을 보이는 사람은

불같이 혼이 났기 때문에

사람들은 왕자님이
나타나면
표정을 지우고
숨기 바빴어요.

떠나자!

이대로면 모두
차갑게 굳어지고
말 거야.

이런 곳에서는
더 이상
살 수 없어.

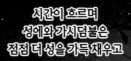

시간이 흐르며
성에와 가시덤불은
점점 더 성을 가득 채우고

적막과
가시덤불만이
가득한 얼음 성에서

왕자님은 혼자만 남게
되었답니다.

웃지 말라고
했지!

너…
너, 누구야?

??

엉자!

안녕.

너 여기 살아?

여기 되게 넓다!

나는 엄마 따라왔는데, TV에 나오는 집 같아!

여기 살면 너무 좋겠다!

어디가 좋은데?

……

거덕

그럼
거기서 나랑
같이 놀자!

엄마가 한참
걸린댔어!

……

빈 찍 빈 찍

빈 찍 빈 찍

…그러지, 뭐.

신난다!

근데…
너 왜 계속
웃어?

응?

사, 사,
사랑…

죄송합니다,
도련님.

직원 대기실에만 있도록 당부했는데 빠져나간 모양입니다.

바로 해고 조치 하겠습니다.

훌쩍 훌쩍

죄송합니다….

괜찮아. 그만둘 필요 없어.

네? 그 말씀은…

두 번 말해야 돼?

가, 감사합니다, 도련님!

+2화+

킹더랜드

…다
보이는데.

깜
짝
?!

그게
숨은 거야?

……

29

내가 잘못해서 엄마가 쫓겨나는 줄 알고…

이렇게 나와 있으면 또 혼나는 거 아니야?

마, 맞는데, 어제 고마워서….

…고마워.

이건… 선물이야.

…….

나와. 사탕 줬으니까 봐줄게.

어, 엄마가 민폐 끼치지 말라고 했는데….

그런데 또 왔어?

민폐 아니야?

…별로?

와아…

자박

있잖아.

우리 공주님 놀이 하자.

공주가 되고 싶은가 보네?

아니, 공주는 오빠.

피식

멈칫

응?

그리고
내가 왕비!

?? 왕비?

?

왕자는?

왕자는 없어.
엄마랑 할 땐 맨날 내가
공주 했는데 오늘은
오빠가 공주 해.

왜 내가 공주야?
남자니까 왕자를
해야지!

예쁘니까
괜찮아!

……?
그게 무슨
논리야?

나 공주 싫어.
왕자면 몰라도.
그리고 나 바빠.

뭐 하는데?

공부.

너도
놀지만 말고
공부해야지.

조금만 놀자.
워니 오빠
왕자 시켜줄게.

우리 엄마가
나중에 많이 한다고
지금은 놀아도 된댔어.

어린이는
어린이답게~

너는 그럼
공주야?

아니, 여왕.

……

계속
나보다 높은
사람이군.

우리 왕자님, 공부하느라 힘들지요? 어서 누워요.

구
으
윽

이리 와. 자장자장 해줄게.

자장자장, 잘도 잔다.

어마…

저벅

!!

움찔

누님….

어… 어마마마가 안 계세요.

어마마마는 어디….

아우의 어미는 아우가 알지, 제가 알까요?

……

39

그만 방으로
들어가세요.

누니…

따라오지
말고!

누,
누님…

공주님,
안녕하십니까.

안녕하십니까,
왕자님.
무얼 하고
계세요?

어마마마가…
모이실 닣아서….

그랬군요.

오빠,
무서운 꿈 꿨어?

3화

킹더랜드

자면서 막
아픈 소리 냈어.

귀신
나왔어?

…….

아니….

엄마가….

엄마가?

…….

뭐 하는 거야?

싫은 기억 없애주는 최면! 엄마도 나한테 맨날해줘.

정말 지워져?

응! 말끔하게!

……응, 그래.

다음에 무서운 꿈 꾸면 또 해줄게!

안 지워진 것 같은데….

활짝

헤헤

넌 왜 자꾸 웃어?

내가
자꾸 웃어?

응.

오빠랑 노는 게
재밌어서
그런가 봐.

맞다! 웃는 거
싫다 그랬지?
참을게!

흡

비죽

비죽... 비죽...

너, 너는
웃어도 봐줄 테니
참지 마.

싫지만…
조금 다른 것
같아.

진짜?
그럼 나
웃어도 돼?

마음대로.

......

왜 그래?

…또 혼날까 봐.
지저분하다고.

누구?
엄마?

…아니,
누나.

누나 있어?
좋겠다!

글쎄….

사랑니도
언니 삿고 싶어.

'다 그런' 건가?

달그락

달그락

어제….

움찔

움찔

화란이 성적표를 받았는데,

결과가 좋더구나.

가, 감사합니다.

다만.

멈칫

수학이 다른 과목에 비해 아쉽더구나.

수업 시간을 더 늘리라고 해놨으니 그렇게 알거라.

다음 시험 땐 같은 실수 없길 바란다.

네….

그리고 원이.

모든 과목에서 100점을 받았다 들었다.

그 나이 때 화란이보다 낫구나.

그래야 내 아들이지.

곧 둘이 같이 수업을 들어도 되겠어.

일끔

화란이는 좀 더
분발하거라.

나는
'최고'에게만
킹 그룹을
물려줄 테니까.

열심히
할게요.

다 이런 건가?

+ 4화 +

킹더랜드

3시간 전 ▶▶▶▶

워니 오빠!

이 문제는 어떻게 푸는 거야?

응?!

아…. 줘 봐.

자, 이렇게 하면 돼.

와 아 아~

재미있는 숫자놀이

오빠, 진짜 똑똑하다!

나는 하나도 모르겠는데….

이 정도야 뭐.

당연하지. 내가 나이가 더 많은데.

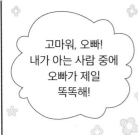

고마워, 오빠!
내가 아는 사람 중에
오빠가 제일
똑똑해!

…그, 그래?

똑똑

누나….

왜 불러?

왜
나한테
물어?!

네가
알아서 해!

탁!

쾅!

침 울

오빠,
왜 그래?

어디
아파?

……

누나가
화냈어.

어쩌다가?

헉?

수학 문제
물어봤는데…
싫었나 봐.

엄청 어려웠어?
언니도
못 풀 만큼?

아니,
그건 아냐….

누나도 나처럼 기분 좋아질 줄 알았는데…

안전

부절

추욱…

내, 내가 가르쳐 줄게!

짜부

이 문제야?

악

너는 못 풀어!

???

띠글~?

중3 수학이란 말이야!

푸, 풀 수 있어!

거봐!

힝…

오빠, 나무 타본 적 있어?

다시 현 시점 ▶▶▶

기분
좋지?

‥‥‥

살랑

살랑

재 누구야?

5화

킹더랜드

오빠! 찾았다!

왔어?

오빠, 이거 봐봐.

짠~

예쁘지?

웬 과자야?

어제 생일이라서 엄마가 사줬어.

오빠랑 같이 먹으려고 가져왔지!

…….

네 생일?

응!

엄마랑 할머니랑 파티도 했어!

할머니가 미역국도 끓여줬다! 고기 많이 넣고!

그래서 어제 안 왔구나.

좋았겠네…. 재밌었어?

응!

오빠도 초대하고 싶었는데 엄마가 오빠 방해하지 말라고 해서….

대신 오빠 주려고 과자랑 초콜릿 챙겨 왔어.

물티슈도 있어! 손 닦고 먹자!

초콜릿 진짜 예쁘고 맛있어. 어서 먹어봐!

끈적

어?

녹았네.

왜 이렇게 됐지?

옷에도 묻었어….

미안해. 꼭 끌어안고 와서 그런가 봐.

예쁜 초콜릿, 오빠도 보여주고 싶었는데….

뭐 어때, 초콜릿이 맛만 있으면 되지.

다 녹은 것도 아닌데.

괜찮아?

응. 맛있어.

그리고 별로
안 녹았네.
이것도 예뻐.

넌
안 먹어?

아, 아냐.
먹어!

다행이다.

배시시

우는
줄 알았네.

맛있다!

초콜릿
엄청 좋아하나
보네.

......

?

여기서
잠깐 기다려!

금방
갔다 올게!

탓

??

분명
있었는데….

비슷한 게….

찾았다!

짜안!

우와아~

예쁘다!

줄게!

생일 선물 대신에.

방금 초콜릿 먹었으니까 이건 가져가서 먹어.

고마워 오빠ㅣㅣ

아냐. 다음엔 제대로 챙겨줄게.

나도 오빠 생일 선물 줄래!

내 생일 지났어.

그럼 내년에!

알았어!
사랑이랑
다음 날
파티 하자!

끄덕

끄덕

초콜릿
너무 고마워.
정말 예뻐!

뭘.

생일 파티라….

기대된다.

엄마!
오빠가 생일 선물로
초콜릿 줬어!

어머

너, 너무
예쁘다…!

이거…
엄청 비싸
보이는데….

감사하다고
인사했지?

응! 했어!

하나가
비네.

아.

아까
원이 도련님이
가져가셨어요.

걔가? 단 거
잘 안 먹으면서
웬일이지.

……

……

흠.

⋆ 6화 ⋆

킹더랜드

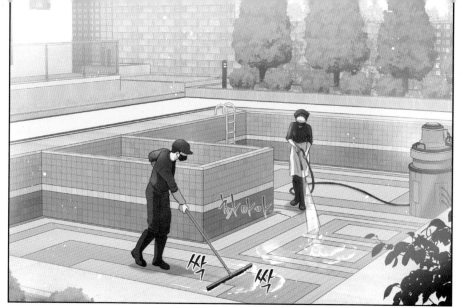

또 수영장
청소하네!

쓰지도 않는데
맨날맨날.

왜
수영은 안 해?

우리 집에 수영장 있으면 난 매일매일 거기서 놀 거 같은데.

왜? 재미없어?

난 별로.

기절해서
어른들이
구해줬대.

......

토닥

무서웠겠다.

…별로?

꼼지락

물을 좀
먹었을 뿐이지.

그게
얼마나
힘든데!!

나도 바다 갔다가
발에 쥐 나서
빠진 적 있었어.

너무 너무
무서웠어!

잘 때마다
그때 꿈꿔서
무지
힘들었어!

그래서
계속 엄마랑
같이 잤었다?

......

엄마…

엄마…!

잠을 잘
못 잔다지.

사내놈이
그렇게
심약해서야.

......

그럼 사랑이 구경할래!

조용히 들어가자.

오빠 방에 장난감 많아?

아니, 책은 많이 있어.

힝, 오빠 책은 재미없는데….

자, 어서 들어와.

우와, 엄청 커!

어른 방 같다!

잠깐 있어.
간식
가져올게.

응!

상장 많다!

다 오빠 건가?

지구본이다.

옆에 건
뭐지?

컴퓨터
신기하게
생겼어.

기다렸지.
안 심심했어?

아니,
오빠 방
재밌어!

자,
여기서
먹자.

· 7화 ·

킹더랜드

화란아, 우리 수영하고 놀자.

응?

과제도 다 했잖아.

그냥 집에 가긴 아쉬워!

빌려줘!

너네 수영복 없잖아.

아니면 새로 사 오면 되지!

응? 놀자아~

어휴

알았어, 물 채우라고 할게.

우와~!

그럼 저녁도 먹어야겠네.

당연하지!

얼음
어디 갔지?

야채
씻어놓은 거
더 가져와!

엄마….

사랑아! 오늘 손님들 오셔서 정신없으니 들어가 있어.

이모들 바쁘다!

꺅?!

죄송합니다, 도련님!

응. 왠지 배고파서.

조심 좀 해.

간식 가지러 오셨어요?

화란이 동생인가?

동생이 있는 줄 몰랐네.

마실 건 안 필요하세요?

괜찮아.

생각보다 닮았다.

난 알고 있었는데, 보는 건 처음이야.

생각보다
닮은 건 뭐야.

가족인데
당연히 닮았지.

참, 넌 이번에
한국 들어왔다고
했지?

?

저 두 사람…

엄마가 달라.

아.
혼외자야?

그게 뭐
별거라고
귓속말까지 해.

뭐,
흔한 일이긴
하지만….

화란이
어머니께서는
병으로 일찍
돌아가셨거든.

......

불쌍하다.

새엄마가 들어와서 아들을 낳은 거잖아.

그게 다가 아냐. 새엄마가 화란이 아빠네 회사 직원이었대.

헐, 대박.

아버지 그렇게 안 보였는데 로맨티스트셨네.

결국 적응 못 하고 떠나긴 했지만.

남동생은 두고?

당연하지. 아들이잖아. 그것도 정략결혼이 아니라 사랑해서 낳은.

와, 나라면 진짜 싫을 듯.

그러니까. 잘못했다간 낙동강 오리알 신세지.

야. 해 지니까 춥다.

슬슬 들어가자. 배도 부르고.

그럼 내 방에서 후식 먹을래?

좋아!

뭐야. 배부르다며.

후식 배는 따로잖아!

ㅋㅋㅋ

가웃

오빠, 물 찰랑거려.

사랑이 구경해도 돼?

......

수영장 트라우마

가까이 가기 싫은데…

그래, 난 여기 있을 테니 넌 구경해.

와, 신난다!

수영장에 물 차 있는 거 처음 봐!

신기하다.

빠진 적 있다면서 쟤는 안 무섭나?

앗, 차가!

발만이라면
괜찮지
않을까요?

아차.

웃음소리가
났는데….

오빠,
봐봐!

사랑이가
파도치게
했어!

활짝

……

헤헤…

재밌어?

응!

도련님도
과일 드세요.
여기 둘게요.

탁

그럼
재미있게
노십시오.

빤

……

뭐
웃어도…

상관없으려나?

아.

새 거
가져와야
겠네.

음료수도
챙길까?

과자도.

사랑아!

8화

킹더랜드

사랑아!!

누, 누가…!

145

우웩!!

원이 도련님!

으아아 아아앙!

그 후 정신이 드니….

그 애는
집을 떠나고
없었다.

사람들을 붙잡고
물어보았지만,
이번에도 행방을
알려주지 않았다.

그래, 내가 내보냈다.

애가 집 안을 돌아다니면서 사고까지 치고.

쭉

화란이도 공부에 방해된다고 하고.

누나가요?

너도,

스윽

이제 정신 차려야 겠구나.

오빠!

인사도
못 했는데….

맨날 맨날
웃기만 하더니,

우는 모습이
마지막이었네….

하아~

체크인 도와드리겠습니다. 예약하셨습니까?

네.

싱긋

사랑아, 왜 그래?

어, 언니가 예뻐서.

수줍

어머, 고마워요.

운이 좋았네⋯. 마침 숙박권에 당첨되고.

오빠집 갈래~~

호어어어엉

애가 저렇게 계속 우는데 어디 가서 맛난 거 먹고 놀다 오는 건 어떠니?

체크아웃은 오전 열두 시입니다.

연장은 한 시간 전에 프런트로 연락 주시면 됩니다.

멋지다…!

사랑이도 좋아하는 것 같아 다행이네.

기회되면 또 데려오자.

들어가기 전에 로비 구경할래?

응!

와아~

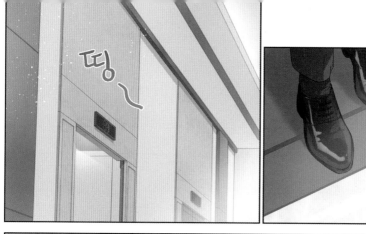

띵~

오늘
둘 다 잘했다.
중요한 분들께
좋은 인상을
심어드렸구나.

앞으로도
기대하마.

네.

네.

+ 9화 +

킹더랜드

쯧쯧…. 이게
무슨 일이래.

아직
젊은데

생때같은
자식 두고.

엄마…
아직 안 왔나?

어디가
아팠대?

아니,
교통사고.
새벽에 일
나갔다가….

저런….

안 그래도
밤낮없이
일하더니
새벽까지?

주말에만
애를 보면
눈에 밟혔을
테니.

엄마
토요일에 온다고
했는데….

사랑이도 같이
살고 싶다고
조르니까
무리한 거지.

결국
그거 때문에
사고를 당한
셈이네.

이 사람이!

혼자 온 거야?
어디서 왔어?

○○동….

뭐?!
그 먼 데서?

끄덕 끄덕

어떻게
왔어?

버스….

힐끔

세상에,
혼자 버스 타고
여기까지?

대견하네!

일단 이모랑
호텔에
들어갈까?

들어가도
돼요?

꼬옥

당연하죠.

사랑아, 봐봐.
피아노다!

코끼리
만하네!

멋있지?

응!

사랑이,
여기 좋아?

응!

우리
다음에
또 오자.

응! 다음엔
할머니도
같이!

그래, 그래.

약속!

꼬마야,
약 가져…
어머!

다친 데 아파?

엄마 금방
올게.

세상에,
이 먼 델
혼자 오다니.

사랑아!

폐를 끼쳐서
정말 죄송합니다.

아니에요.
괜찮습니다.

함무니?

그래, 할머니다.
전화 받고 얼마나
놀랐는지 알아?

이제 집에
가자.

웅...

택시 타고
가세요. 불러
드릴게요.

어이구,
아닙니다.

금방 올 거예요.
사양 마시고요.

사랑아.
감사합니다,
인사해야지.

깨우지 마세요.
피곤했나
보네요.

너무 감사해요.
얘가 엄마
보고 싶어서
예까지 왔나봐요.

써액

써액

엄마 가기 전에
둘이서
여기 왔었는데,

그게 엄청
좋았는지….

아…
그랬군요….

꿈에서라도
엄마를 만났으면
좋겠네요.

엄마….

· **10**화 ·

킹더랜드

야. 구원.
너는 어떤
여자임?

갑자기 뭔 소리야?

이상형 얘기하고 있었잖아.

이 새끼 안 듣고 있었구만.

여자는 역시 얼굴이지.

무슨 소리야. 몸매가 좋아야지.

넌 어느 쪽이야?

니들이 다리의 매력을 몰라서 그래.

ㅋㅋㅋ

니가 내 혈육 발에 채여봐야 됨.

갈비뼈 다 나가는 숲.

난 긴 생머리가 좋던데.

왜 자꾸 처맞는 쪽으로만 생각함?

머리끄덩이도 맞으면 개아픔.

얼마나 맞고 사는 거?

야, 너는?

음....

나는 잘 웃는 사람이 좋더라.

올~ 순정.

뭔가
느낌 좋잖아.

예쁘면
ㅇㅈ.

글래머면
더 좋고.

아오,
저질들.

구원.
네 이상형은
뭔데?

웃는…

오, 너도?

…건
딱 질색이고,

나무
잘 타는
여자?

띠…용…?

나무?

웬 나무? 저 나무?

변태임?
ㅋㅋㅋ

타잔
이세요?

지금 내가
뭔 소리를…?

?

이 새끼,
그렇게
안 봤는데.
ㅋㅋ

난 구원
의견에
동감이야.

아리아드네가
얼마나 멋진데.

두둥

아
아리아드네?

아리아드네면
ㅇㅈ.

아리아드네
누나는
몸매도 좋아.

이번에
업뎃된 거
봤냐?

원아. 너도
이 게임 해?
섭 어디?

???

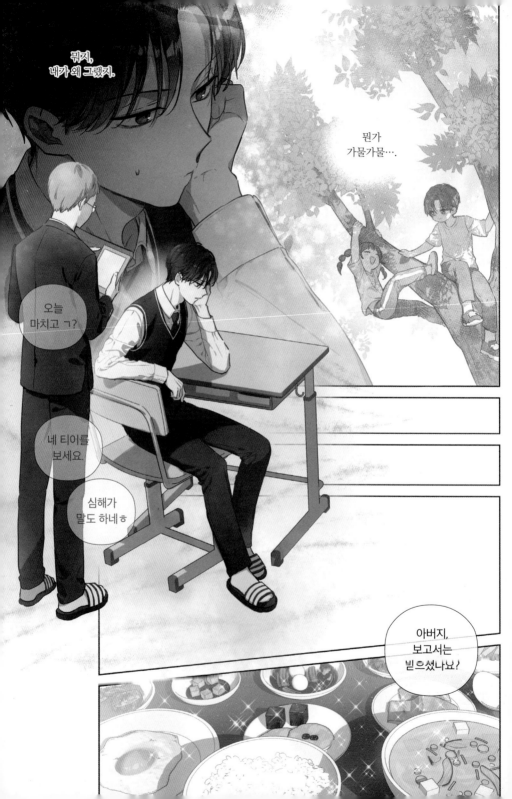

3분기
호텔 전략을
좀 짜봤어요.

그래.
잠깐 봤는데
나쁘지
않더구나.

예산 대비 효율도
괜찮을 것 같고.
이 대표랑 논의해서
한번 해보거라.

네. 좀 더
구체화해서
다시 보고
드릴게요.

유학 가는 게 어때?

나라는 고르게 해줄게.

좀 전에 아버지가 서울대 가라고 한 거 까먹었어?

치매야?

지금 농담할 기분 아냐.

……

......

용건
끝났으면
그만 가볼게,
누나.

타악

하

지겨워.

팔랑

힘이 있으면
엄마에 대해 조금이라도
알아낼 수 있지 않을까
했는데…

결국 아버지
비위만 맞추고
있었을 뿐이네.

뭣 때문에
공부를 한 건지.

물끄럼...

· 11화 ·

킹더랜드

너무
아까운데….

정말
전문대로
괜찮니?

사랑이 네 성적이면
4년제도 장학금 받고
갈 수 있을 텐데….

공부도
좋지만….

빨리
취직하고
싶어서요.

……

사랑아.

할머니께
부담 주기 싫은
마음은
기특하지만

지난번에도
얘기했듯이
더 먼 미래도
생각해야지.

에구…

물론 그 이유가 크지만…

하고 싶은 일에 맞춰서 고른 거예요.

그래…. 호텔리어가 되고 싶다 했었지.

그거라면 4년제 호텔경영학과도 있는데….

저도 알지만 알아보니까 안영대가 실습 프로그램이 제일 좋더라고요.

유일하게 단기 어학연수 지원도 되고.

하긴. 재학생, 졸업생 후기도 좋더구나.

네 뜻이 정 그렇다면 어쩔 수 없지만, 아깝다….

학교에 플래카드 하나 붙일 수 있었는데…!

○○대 합격을 축

아이~, 그 정돈 아니에요.

사랑이
왔다!

상담
잘했어?

어디 갈지
정한 거야?

응,
안영대
가려고.

엥?!

너 그거
진담이었어?!

왜?
넌 4년제
갈 수 있잖아!!

아, 이제
우리 좀 그만
좋아해라….

거참,
고마운데 너무
아깝잖아!

왜긴,
너희랑 같은 대학
가고 싶어서
그러지.

우리야
2년제도
땡큐지만
년 이니고.

선생님
안 우시디?

206

할머니! 김치 좀 더 주세요.

네, 잠시만요.

어이구.

할머니! 내가 할게.

잉? 사랑이 왔니?

네, 다녀 왔어요.

오늘 늦을지도 모른다며.

생각보다 일찍 끝났어.

여기 내장 국밥 하나 주세요.

네! 금방 나갑니다!

저녁이 늦어서 어쩌누.

짬 날 때 챙겨 먹으라니까.

할머니도 지금 먹으면서.

맞다, 할머니 병원 다녀왔어?

잉? 무슨 병원?

몸살기 있다며.

무슨 소리여? 말짱해.

아닌데. 분명히 들었는데.

누가 그러든? 남득이?

동네 사람들 다 알던데?

남득이가 맞구먼. 하여튼 그놈의 여편네.

보소~

그러니까 내일 나랑 병원 가자.

됐어. 무슨 병원. 한숨 자면 낫는구먼.

병원 안 가면 나 화낸다?

어이구, 손녀 무서워서 살겠나. 알았으니 어여 먹기나 혀.

할머니.

응?

나, 안영대
쓰려구.

그래.

순식간에 패스

…4년제 아니구
2년제 전문댄데.

할미도
그 정돈 알어.

아까도 말했잖여.
난 우리 손녀가
세상에서 젤로
무섭다고.

할머니!!

사랑아.

절레

난 우리 손녀
믿는다.

넌 어디서
뭘 하든
최고가 될 거여.

척!

coool coool

……

고마워,
할머니….

나 열심히
공부해서 꼭 멋진
호텔리어가
될게!!

그래서 할머니
호강시켜 줄게!!

그려,
그려.